Viajeros

ANIMALES EXTRAORDINARIOS

Xulio Gutiérrez

Ilustraciones de
Nicolás Fernández

FAKTORÍA K DE LIBROS

ÁRBOL DE LA VIDA

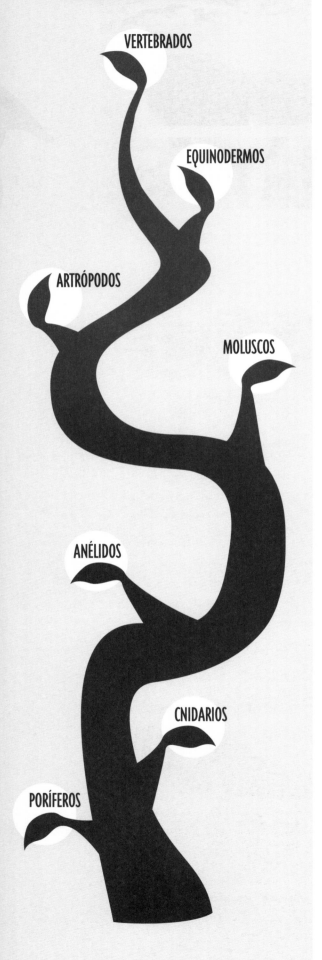

VERTEBRADOS

EQUINODERMOS

ARTRÓPODOS

MOLUSCOS

ANÉLIDOS

CNIDARIOS

PORÍFEROS

Principales grupos del Reino Animal

EJEMPLOS

VERTEBRADOS	mamíferos	euterios	*mamíferos con placenta:*	lemming, bisonte americano, ñu
		metaterios	*mamíferos sin placenta:*	canguro, koala
		prototerios	*mamíferos ovíparos:*	ornitorrinco
	aves	neognatos	*aves voladoras:*	charrán ártico, golondrina
		paleognatos	*aves corredoras:*	avestruz, kiwi
	reptiles	quelónidos	*reptiles con caparazón:*	tortuga boba
		escamosos	*reptiles que mudan la piel:*	camaleón, víbora
		crocodilianos	*reptiles con placas óseas:*	cocodrilo
	anfibios	anuros	*anfibios sin cola:*	rana, sapo
		urodelos	*anfibios con cola:*	tritón, salamandra
	osteíctios		*peces con escamas:*	salmón, sardina sudafricana
	condrictios		*peces sin escamas:*	tiburón ballena, raya
	ciclóstomos		*peces sin mandíbulas:*	lamprea
EQUINODERMOS	holoturoideos			holoturia, pepino de mar
	ofiuroideos			ofiura
	crinoideos			lirio de mar
	equinoideos			erizo de mar
	asteroideos			estrella de mar
ARTRÓPODOS	miriápodos			ciempiés, milpiés
	insectos			mariposa monarca, marabunta
	crustáceos			cangrejo rojo, langosta
	arácnidos			araña, escorpión
MOLUSCOS	cefalópodos		*moluscos con tentáculos:*	calamar, pulpo
	bivalvos		*moluscos con dos conchas:*	almeja, vieira
	gasterópodos		*moluscos con una concha:*	caracol, bígaro
ANÉLIDOS	hirudíneos			sanguijuela
	poliquetos			gusano tubícola, gusano marino
	oligoquetos			lombriz terrestre
CNIDARIOS				coral, hidra, medusa
PORÍFEROS				esponja de mar

Animales
extraordinarios

La vida de los animales salvajes no es fácil. Para sobrevivir en el ecosistema, deben conseguir alimento, enfrentarse a sus competidores y defenderse de los peligros que acechan en cada esquina. En muchas ocasiones, el lugar donde viven no ofrece las oportunidades que necesitan para subsistir durante todo el año.

La mayoría de los animales son sedentarios: viven siempre en el mismo sitio o hacen desplazamientos cortos. Pero la lenta evolución de los continentes, los cambios del clima y las transformaciones del entorno llevan a muchas especies a

viajar para sobrevivir.

Hay animales que migran miles de kilómetros entre las zonas de invierno y las de verano, otros viajan de las zonas de cría a las de alimentación y otros se desplazan pequeñas distancias, pero llenas de peligros y dificultades. En muchos casos, las migraciones de los animales se cobran un elevado precio en vidas. En este libro, veremos 12 especies que responden a la llamada atávica de la naturaleza realizando increíbles viajes con obstinada determinación.

Viajeros

1   pág. 4

2   pág. 6

3   pág. 8

4   pág. 10

5   pág. 12

6   pág. 14

7   pág. 16

8   pág. 18

9   pág. 20

10   pág. 22

11   pág. 24

12   pág. 26

LEMMING

Lemmus sp.

Este pequeño roedor de pelo suave
y cola corta es muy parecido al hámster.

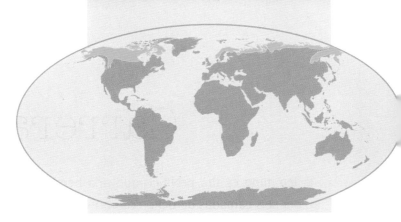

Vive en las regiones árticas de Eurasia y Norteamérica.

En las vastas extensiones de la tundra ártica, el clima es tan frío que solo pueden sobrevivir líquenes y pequeñas plantas herbáceas. El lemming vive bajo estas plantas, en largos túneles que excava y reviste con pelo de zorro y de caribú. Solo así puede soportar las temperaturas gélidas y los feroces temporales que azotan la región. También construye cámaras donde guarda alimento para el invierno. Los túneles de una colonia de lemmings forman una red de galerías, que pueden extenderse por cientos de kilómetros.

La vida del lemming es solitaria. Solo se juntan en parejas en la época del apareamiento. Dedica casi todo el día a buscar hojas de plantas, raíces, bulbos y semillas. También captura gusanos y larvas de insectos para completar su dieta. Como le sucede a todos los roedores, los incisivos le crecen durante toda la vida y debe desgastarlos royendo sin descanso las raíces de las que se alimenta. Algunos mamíferos del Ártico, como la ardilla de tierra ártica, el oso polar y la marmota, hibernan o se aletargan durante el invierno, pero el lemming permanece activo todo el año.

Carrera temeraria

El lemming es tan prolífico que una hembra puede tener seis camadas de ocho crías antes de cumplir el año. Así compensa las numerosas muertes que causan sus depredadores principales, como el búho nival, el zorro y el armiño.

No se sabe muy bien la causa, pero algunos años la población aumenta tanto que puede multiplicarse por 30. Cuando sucede esto, el alimento se agota y la única salida que les queda es emigrar. Millones de ejemplares se dispersan en grandes grupos en todas direcciones para buscar comida en otros territorios.

Guiados por su instinto, los lemmings se desplazan rápidamente en línea recta, sin importarles los accidentes del terreno. Escalan montañas, atraviesan pantanos e incluso cruzan ríos y lagos, porque nadan muy bien.

Durante este viaje, se pierden muchas vidas. Algunos caen desde lo alto de los acantilados, debido a los empujones de los compañeros que van detrás de ellos; otros mueren ahogados al cruzar un río, y otros son capturados por depredadores.

La migración es tan numerosa que ha dado lugar a muchas leyendas y falsas creencias. En el siglo XVI, se creía que los lemmings caían del cielo, como si de una lluvia mágica se tratara. También existe el mito, muy extendido, de que se suicidan en masa nadando mar adentro o saltando a los ríos desde acantilados.

BISONTE AMERICANO

Bison bison

Es el animal terrestre más grande de América.

Tiene una cabeza enorme, con cuernos curvos y una joroba peluda sobre los hombros.

El bisonte es rumiante como la vaca, pero difícil de domesticar, porque tiene un carácter indómito e impredecible. Es inteligente y se comunica con los otros bisontes mediante bufidos, mugidos y gruñidos.

Entre los bisontes, existe una jerarquía que depende de la fecha de nacimiento. Los machos que nacen antes serán los dominantes y, de adultos, forman un pequeño harén de varias hembras que protegen de los rivales. Después de las dos o tres semanas que dura la época de apareamiento, los machos se apartan de las hembras y no participan en el cuidado de la prole.

El bisonte goza revolcándose en el polvo y en el barro. En los lugares donde lo hacen, se forman depresiones tan llenas de excrementos y pelo que se impermeabilizan y, con la lluvia, se convierten en charcas. Esta agua es muy importante para la supervivencia de numerosos animales en la época seca. Al remover la tierra, cuando se desplazan, fertilizan el suelo y favorecen la floración de las plantas.

Los invasores europeos exterminaron los bisontes, para aprovechar su piel y para privar a los indios de su principal fuente de sustento y, así, facilitar la ocupación de las tierras. Después de las matanzas de los siglos XVIII y XIX, la población de bisontes se redujo drásticamente: de 60 millones a 750 ejemplares. Hoy existen unos 500 000 bisontes en ranchos privados y unos 30 000 recluidos en reservas públicas. La mayor de estas reservas está en el Parque Nacional de Yellowstone, donde unos 15 000 bisontes están casi libres en zonas no valladas.

Antes de la llegada de los europeos, habitaba en casi toda América del Norte. Hoy solo vive en ranchos privados y reservas.

(Distribución histórica en rojo, distribución actual en naranja.)

Viaje interrumpido

El bisonte americano vive en territorios áridos, donde el clima cambia radicalmente en cada estación. Cuando la hierba escasea, forman grandes manadas y emprenden un largo viaje en busca de agua y alimento. Caminan despacio, unos cuatro kilómetros al día, deteniéndose continuamente para pastar. Pasan entre 9 y 11 horas al día comiendo.

Antes de la llegada de los europeos, las praderas de Norteamérica estaban pobladas por millones de estas grandes bestias, que atronaban cuando trotaban en la gran migración anual. Una estampida de bisontes debía de ser un espectáculo aterrador porque corren a más de 60 kilómetros por hora y saltan más de 1,80 metros de altura.

Hoy los bisontes no pueden emigrar porque están confinados en reservas. Cuando intentan ponerse en movimiento, encuentran vallados por todas partes que les impiden el paso. Estos imponentes ungulados no tienen más remedio que dejarse pastorear por los guardas de la reserva que los conducen a comederos como si fueran ganado, una triste imagen.

ÑU AZUL

Connochaetes taurinus

Es un bóvido de cabeza grande, crines largas y patas muy finas rematadas en pezuñas afiladas.

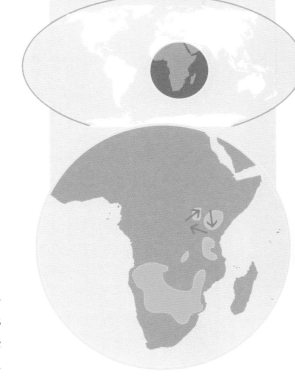

El ñu azul es un antílope feo y desgarbado, hoy muy abundante en la sabana africana. Muchos carnívoros intentan cazarlo. Licaones, leopardos, guepardos, leones, hienas y cocodrilos son sus principales enemigos. Su defensa es la velocidad: supera los 100 kilómetros por hora en carrera corta y puede galopar a 70 kilómetros por hora durante más tiempo que sus perseguidores.

Los ñus forman los rebaños silvestres de mamíferos más numerosos del mundo. Con frecuencia, viajan junto a cebras, gacelas y otros antílopes para aprovechar las capacidades combinadas de cada uno (vista, oído y olfato), todos atentos a la más leve señal de peligro.

En el centro del rebaño, viajan los animales más vulnerables. Por fuera, caminan los machos más grandes; sus cuernos agudos pueden causar graves heridas a depredadores tan poderosos como el león. Cuando se detienen a descansar, los machos hacen turnos de defensa en el perímetro exterior, para que los demás duerman tranquilos en el centro de la manada.

Las crías tienen muy poco tiempo para aprender a andar. Se ponen en pie dos o tres minutos después de nacer y siguen el paso del rebaño 10 minutos después. A los cuatro días de vida, corren más que un león.

Los ñus que viven en zonas ricas en alimento son sedentarios, pero la mayoría habitan zonas que se secan durante el verano, por lo que tienen que migrar en busca de pastos para sobrevivir.

Vivía en toda la sabana africana por debajo del Sáhara. Después de llegar casi a la extinción, hoy vive en grandes áreas protegidas.

Nacido para correr

El viaje de los ñus es la más numerosa de las migraciones terrestres. Comienza en la llanura del Serengueti durante la época de las lluvias, entre enero y marzo. Allí se reúnen miles de herbívoros que proceden de las tierras áridas del este: 270 000 cebras, 1,7 millones de ñus y 470 000 gacelas. En febrero nacen entre 300 000 y 400 000 crías. Madres e hijos deben tomar fuerzas con rapidez para acometer un dramático viaje de 800 kilómetros.

En mayo, cuando cesan las lluvias, las manadas comienzan a desplazarse hacia el noroeste y, a finales de junio, llegan a los peligrosos ríos Mara y Grumeti.

Miles de cocodrilos aguardan el banquete y los herbívoros pagan un alto precio, en vidas, para atravesar estos vados.

Las manadas llegan a Kenia entre julio y agosto, donde permanecen hasta noviembre alimentándose de los pastos de verano de la región de Masái Mara. Con las primeras lluvias, inician el regreso al Serengueti, adonde llegan en diciembre.

Las muertes, durante la migración, son muy numerosas: 250 000 ñus y 30 000 cebras perecen cada año de hambre, sed, enfermedades o entre las fauces de los depredadores. Los que sobreviven inician un nuevo ciclo en la vida de la especie.

CHARRÁN ÁRTICO

Sterna paradisea

Esta elegante ave marina,
más pequeña y esbelta que la gaviota,
tiene el pico naranja, el pileo negro
y una cola fina en forma de horquilla.

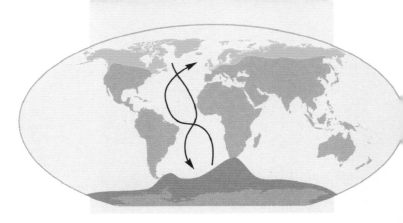

Durante los meses de verano
del hemisferio norte,
el charrán vive en las costas árticas
de Europa, Asia y Norteamérica,
donde establece las colonias de cría.

El charrán es un gran pescador que busca alimento desde las alturas volando con la cabeza inclinada hacia abajo. Cuando divisa una presa, se abalanza sobre ella haciendo un picado veloz. Así, captura pequeños peces e invertebrados marinos que están a menos de 15 centímetros de la superficie.

Cuando busca pareja, el charrán macho vuela en vertical hacia arriba, a toda velocidad, para demostrar su fuerza. Las hembras observan. Cuando una se siente atraída, vuela hacia él y, después, descienden juntos planeando lentamente. Luego, el macho pesca un pez que ofrece a la hembra como regalo para aplacar su agresividad. Ya en tierra, ejecutan una complicada danza: ambos levantan las colas y bajan las alas acompasadamente. La pareja permanecerá unida durante toda su vida, que puede llegar a los treinta años.

La hembra pone un par de huevos en un nido que ambos progenitores defienden con extrema ferocidad. Atacan a cualquier intruso con furiosos picotazos, sin importarles el tamaño del agresor.

En el cerebro anterior del charrán hay un área, llamada «clúster N», que contiene neuronas sensibles a los campos magnéticos. Este órgano, que está conectado a los ojos, le permite percibir visualmente el campo magnético de la Tierra, como luces y sombras integradas en la imagen visual. Así, cuando mira hacia el norte, ve un arco luminoso y, cuando mira hacia el sur, ve el mismo arco pero invertido.

Campeón aéreo

En otoño, el charrán come con voracidad, acumulando muchas grasas insaturadas que le proporcionarán la energía suficiente para realizar su épica travesía de 19 000 kilómetros. También produce muchos glóbulos rojos, comienza a agruparse en bandadas y se despierta en él el impulso de marchar hacia el sur.

El charrán no conoce el invierno porque, con los primeros fríos de septiembre, comienza la migración. Vuela sin alejarse de la línea de costa para orientarse mejor y para alimentarse fácilmente durante los dos meses que dura el viaje.

Cuando llega al océano Antártico, no se detiene. Pasará los meses del verano austral recorriendo incansable los mares que rodean la Antártida alimentándose casi exclusivamente de kril.

Al llegar el otoño austral, hará el viaje de regreso completando el ciclo.

La migración del charrán está escrita en sus genes. Durante el viaje, se orienta por el campo magnético de la Tierra, por el Sol y también por la propia experiencia. En la primera migración, los padres guían a los hijos, para que aprendan las rutas que seguirán en el futuro entre los océanos Ártico y Antártico. Cuanto más viejos, se orientan mejor y corrigen mejor la deriva causada por los vientos, las tormentas y las nieblas.

GOLONDRINA

Hirundo rustica

**Es un ave diurna, grácil y muy cantarina.
En su cola destacan dos largas plumas rectrices.**

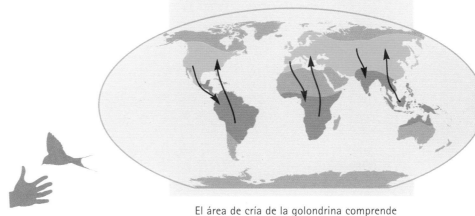

El área de cría de la golondrina comprende
casi todo el hemisferio norte,
menos la tundra y los grandes desiertos.

En Europa, la llegada de las golondrinas señala el comienzo de la primavera. Se dejan ver a baja altura en espacios abiertos, como matorrales, prados y tierras de cultivo, especialmente cerca de cursos de agua, donde se aproximan a beber en vuelo rozando el agua con el pico. Es más frecuente en zonas agrícolas que en ciudades, donde, a veces, se confunde con el avión común, de cola más corta y sin manchas rojas en la cara.

La golondrina caza moscas, mosquitos y tábanos volando con la boca muy abierta y desplegando varias vibrisas a ambos lados de la boca, para capturar más fácilmente a sus presas. El vuelo de la golondrina puede llegar a los 70 kilómetros por hora y es tan ágil que puede hacer giros inesperados, increíbles piruetas acrobáticas y lanzarse en vuelos rasantes vertiginosos.

En su medio natural, la golondrina hace el nido en lo alto de un acantilado o de una roca prominente. También se adapta bien al ser humano y, por eso, utiliza los aleros de los tejados, los remates de los edificios, los puentes y otras edificaciones altas e inaccesibles.

Ambos progenitores hacen bolitas de barro y paja con el pico y, con ellas, construyen un nido en forma de taza. Luego, recubren el interior con fibras vegetales. Al amanecer, los padres salen a cazar y, cuando vuelven al nido, encuentran las bocas abiertas de sus cuatro o cinco pollos, que los reciben piando para reclamar el sustento.

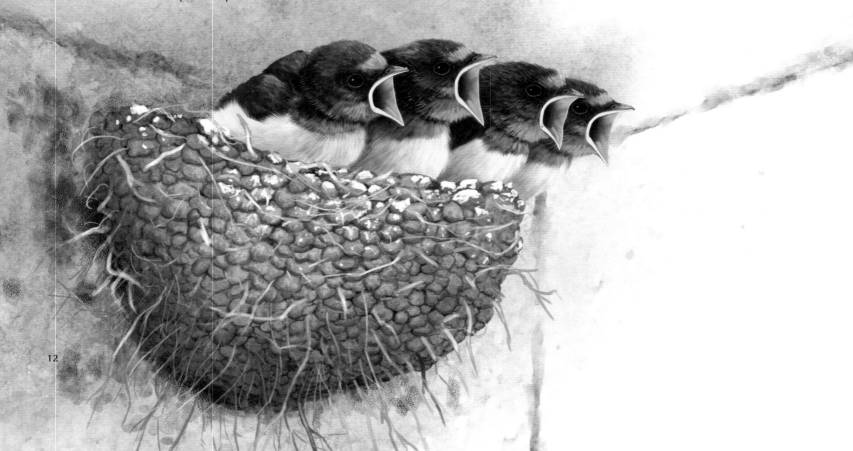

Volver a casa

Cuando llega el otoño y disminuye la cantidad de insectos, la golondrina emigra hacia el sur buscando zonas cálidas con mayor cantidad de presas. Solo unas pequeñas poblaciones, en México, Egipto y el sur de la península ibérica, son sedentarias.

Los machos emprenden la migración unos días antes que las hembras. Los ejemplares más jóvenes esperan unas semanas más reuniéndose en bandadas muy bulliciosas hasta que, finalmente, también emigran.

Las golondrinas viajan de día y pernoctan en dormideros, donde se acumulan miles de individuos. Comienzan a cantar con las primeras luces del día y emprenden el vuelo en los 10 minutos siguientes a la salida del Sol.

Igual que el charrán, la golondrina se ayuda del campo magnético terrestre, pero su principal herramienta para orientarse es la memoria visual. Recuerda, con exactitud, el camino que hizo el año anterior para llegar al nido.

También se orienta por el Sol. El ojo de la golondrina es capaz de percibir el movimiento mucho mejor que el ojo humano, tanto los rápidos movimientos de los insectos que caza como el lento desplazamiento del Sol en la bóveda celeste, ambos imperceptibles para nosotros.

Cuando llegan a su destino invernal, las golondrinas que proceden de cada región hacen los cuarteles de invierno juntas. Las golondrinas de la península ibérica invernan en África, en la región del golfo de Guinea (Ghana, Togo y Nigeria).

TORTUGA BOBA

Caretta caretta

Esta bonita tortuga marina
tiene la cabeza grande y los ojos saltones.

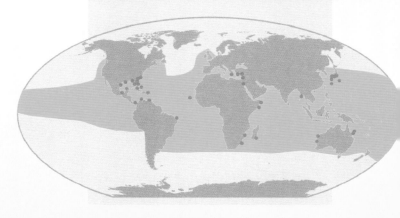

Vive en todos los océanos,
menos en las frías aguas de las regiones árticas.

Las tortugas son unos reptiles únicos, que viven protegidos dentro de un caparazón hecho de escamas, piel y huesos. La cara superior del caparazón, el espaldar, está formado por las costillas, escápulas, columna y otros huesos soldados y cubiertos por gruesas escamas de queratina. Esta es la misma proteína que forma las uñas, plumas, escamas, pelos y cuernos de los vertebrados. La parte inferior del caparazón, el plastrón, está formado por nueve huesos soldados y cubiertos por una fina epidermis.

El caparazón tiene seis aberturas, por las que asoman la cabeza, la cola y las patas que, en las tortugas marinas, están convertidas en aletas. Las tortugas marinas no pueden retraer la cabeza dentro del caparazón, como hacen las terrestres.

Estos animales pasan el 85 % del tiempo sumergidas y pueden estar más de cuatro horas sin respirar. Les va mal el frío y, por debajo de 10 °C, se dejan flotar, inmóviles, sumidas en un profundo letargo.

De pequeñas, las tortugas marinas tienen muchos depredadores, pero, de mayores, gracias a su duro caparazón, solo son vulnerables a los grandes tiburones, a las orcas y al ser humano. Muchas tortugas marinas mueren porque confunden bolsas y globos con medusas, su principal alimento, y acaban con el estómago lleno de plástico. Otro grave problema que les causamos es que apenas les quedan playas tranquilas, porque la mayoría de ellas están llenas de gente en la época en que tienen que poner los huevos.

Nadar con parsimonia

La tortuga boba viaja constantemente. En cada migración, que dura meses o años, recorre grandes distancias desde los lugares donde se alimenta a las playas donde se reproduce.

Todo comienza en una playa cálida. Amparándose en la oscuridad de la noche, una madre preñada sale del mar y se arrastra con torpeza unos metros por la arena. Excava un agujero con las aletas y deposita dentro un valioso cargamento de algo más de 100 huevos, blandos y redondos. Después de enterrarlos con esmero, regresa al mar y los abandona a su suerte. Un mes después y también de noche, las pequeñas tortugas salen del huevo. Se abren paso a través de la arena con las aletas y tratan de llegar al mar antes de que las gaviotas, los cangrejos y otros depredadores las capturen. Muchas mueren, pero las pocas que sobreviven perpetuarán la especie.

Durante sus primeros años de vida, las tortugas viven protegidas dentro de grandes masas de sargazos, que flotan en el mar abierto. Una vez que adquieren la fuerza suficiente, inician la gran travesía, que durará el resto de su vida. Nadan muy despacio, a 1,6 kilómetros por hora, siguiendo las corrientes marinas, para ahorrar energía, y orientándose por el campo magnético terrestre.

Las tortugas nacidas en Japón viajan 9500 kilómetros hasta las costas de Baja California en México y tardan un año entero en completar la travesía. Las tortugas nacidas en Florida viajan a las costas de Europa y África siguiendo la corriente del Golfo. Algunas entran en el Mediterráneo y van a desovar a Grecia y Turquía. Otros lugares importantes para el desove son las costas de Florida, Cabo Verde, Omán, Australia y la Gran Barrera de Coral.

SARDINA SUDAFRICANA

Sardinops sagax ocellatus

Es un pequeño pez de la familia de las sardinas.

Tiene varias manchas redondas en los costados,
que contrastan con el color plateado de su cuerpo.

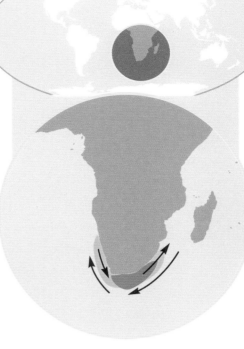

Vive en zonas de aguas frías,
en las costas del océano Índico
y Atlántico Sudeste.

La sardina sudafricana vive en constante movimiento. Todos los años se reúnen por millones para reproducirse al sur de Ciudad del Cabo. Los machos fertilizan los más de 45 000 huevos que pone cada hembra. Los huevos fertilizados quedan flotando a la deriva y son arrastrados hacia el norte por las costas atlánticas de Namibia. Unos días después, los huevos eclosionan y de ellos salen las larvas que, pronto, se convierten en pequeños peces.

Las sardinas jóvenes se agrupan en grandes bancos y se dirigen al sur. Nadan lentamente, con la boca abierta, comiendo plancton con voracidad. Sus presas preferidas son el kril y las larvas de crustáceos. Crecen rápidamente pues, en estas aguas, encuentran alimento en abundancia. Cuando completan esta primera migración y llegan al lugar de donde partieron, ya son peces adultos.

Entre mayo y junio, emprenden su segunda migración, una espectacular travesía de más de 1000 kilómetros hacia el norte hasta las costas índicas de Zululandia. Esta migración se conoce como «la carrera de las sardinas». Para hacer este increíble viaje, tienen que esquivar las fuertes corrientes oceánicas por un estrecho corredor de aguas más tranquilas y frías, que se forma estacionalmente cerca de la costa.

Hasta hace poco, se consideraba que la mayor migración en función de la biomasa era la de los ñus, pero hoy los científicos creen que son las sardinas sudafricanas las que merecen este récord.

Carrera de sardinas

Las sardinas viajan en enormes bancos, tan grandes que se ven desde los satélites. Cada banco puede medir 15 kilómetros de longitud, 3 kilómetros de ancho y 40 metros de profundidad. Esta gigantesca aglomeración de miles de millones de peces atrae a muchos depredadores. Cuando sufren ataques, las sardinas se aproximan mucho unas a otras, agrupándose en una formación defensiva muy densa llamada «bola».

El peligro les llega por todas partes. Las manadas de lobos marinos y delfines atacan por el exterior de las «bolas» de sardinas, mientras que los pingüinos de anteojos y los cormoranes de El Cabo capturan los peces más lentos y aislados. Los peces espada entran a gran velocidad agitando su arma letal y matando o aturdiendo docenas de peces que luego comen. Los alcatraces de El Cabo se lanzan desde 30 metros de altura y se zambullen en el agua, alcanzando 90 kilómetros por hora en el momento del impacto. Mientras, desde abajo, surgen impetuosas las ballenas de Bryde, que engullen cientos de peces con sus inmensas bocas.

Durante el ataque, las aguas se agitan por el voraz frenesí de los depredadores, hasta que sacian su apetito. Las sardinas que sobreviven a la masacre regresan al sur por las frías y oscuras aguas del fondo del océano Índico, donde aguardarán el inicio de otra nueva carrera.

SALMÓN COMÚN

Salmo salar

El salmón es un pez grande y poderoso.

Está adornado con círculos negros en los costados y líneas negras en las aletas.

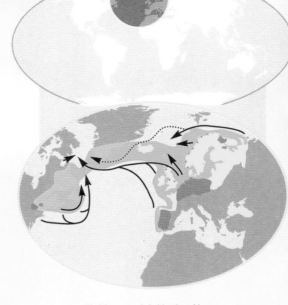

Habita en el Atlántico Norte, así como en muchos ríos que desembocan en este océano.

El salmón nace en el lecho arenoso de un río poco profundo y bien oxigenado, en el que la hembra deposita miles de huevos. Treinta días después, nacen los alevines, que viven entre cuatro y seis años en el río alimentándose de pequeños insectos, moluscos, crustáceos y larvas. En esta época, reciben el nombre de pintos, porque tienen puntos encarnados y azules, muy vistosos, en los costados. Muchos depredadores les dan caza porque son muy vulnerables y pocas crías llegan a superar esta etapa.

Cuando alcanza unos 14 centímetros de longitud y 250 gramos de peso, el salmón siente la llamada del mar. Mientras nada río abajo, sufre una drástica transformación en sus órganos internos, que le permitirá soportar la sal marina. En este momento, los puntos coloreados de su piel se desvanecen y adquiere el color azul plateado típico del adulto. Al llegar a la desembocadura del río, permanece unas semanas allí, para adaptarse a la salinidad, antes de dirigirse a mar abierto.

En el mar continúa su largo viaje, que dura entre dos y cuatro años. Nada a favor de las corrientes marinas por la plataforma continental, una zona rica en alimento, donde devora calamares, camarones y peces pequeños. Durante esta etapa migratoria, el salmón crece mucho, hasta que llega a la edad adulta y desarrolla la capacidad de reproducirse.

Retorno al hogar

Cuando siente que está preparado para regresar, el salmón vuelve instintivamente al río donde nació. Se orienta utilizando el campo magnético terrestre e identifica el río concreto por el olor característico del agua, que le quedó grabado en la memoria cuando era un alevín. Al remontar el río, el salmón vuelve a cambiar de color, haciéndose algo verdoso o rojizo, y los machos desarrollan unas mandíbulas fuertes y sobresalientes.

El remonte del río es un viaje peligroso. Depredadores como las nutrias, las águilas pescadoras y los osos capturan miles de salmones cada año. También tienen problemas con el hombre, la contaminación, la sobre-pesca y, sobre todo, los embalses que dificultan, y a veces impiden, el paso hasta los lugares de desove. El esfuerzo de los salmones es tan descomunal que la mayoría de ellos muere por agotamiento después de la freza. Solo unos pocos tienen fuerzas suficientes como para volver al mar y regresar el año siguiente.

Entre las aletas dorsal y caudal, el salmón tiene una aleta carnosa dotada de numerosas terminaciones nerviosas. Probablemente, actúa como un sensor hidrodinámico, con el que percibe las turbulencias del agua. Gracias a este sentido, parecido al tacto, puede nadar entre las rocas, de forma estable, en las aguas bravas de los rápidos y las cascadas.

TIBURÓN BALLENA

Rhincodon typus

Es el segundo animal más grande del mundo, después de las ballenas, y también uno de los más enigmáticos.

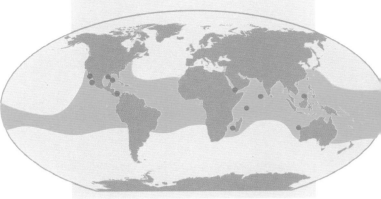

Habita los océanos tropicales, cerca de la superficie hasta unos 100 metros de profundidad.

(Lugares de concentración en rojo.)

La enorme boca de metro y medio de ancho del tiburón ballena no sirve para morder. Tiene 27 000 dientes minúsculos y las encías ásperas, como un papel de lija. La piel no tiene escamas y está cubierta de pequeñas espinas inclinadas hacia atrás. Gracias a este diseño tan hidrodinámico, se desplaza mejor en el agua que si tuviese la piel lisa. Estas espinas también impiden que se le adhieran parásitos, pero no pueden evitar que las rémoras se le peguen en el vientre.

El intrincado dibujo de líneas y círculos blancos que adorna su oscuro lomo es distinto en cada pez, como si fuera una huella dactilar.

El tiburón ballena dedica unas ocho horas al día a comer. Su alimento preferido es el zooplancton, pero también captura animales más grandes, como sardinas, caballas y calamares. Avanza muy despacio, con la boca abierta y succionando agua con plancton. Luego, cierra la boca, filtra el alimento con las branquias y expulsa el agua sobrante. Finalmente, engulle la captura. En una hora, filtra unos 6000 litros de agua y, de vez en cuando, tose violentamente para expulsar las partículas molestas que, con frecuencia, le quedan adheridas a las branquias.

La hembra del tiburón ballena mantiene los huevos fecundados dentro del cuerpo, para que se desarrollen a salvo de los depredadores. Una vez que maduran, los huevos eclosionan y la madre libera unas 300 crías capaces de vivir sin ayuda. La mayoría serán devoradas por grandes depredadores, como el tiburón azul y el pez vela, pero unas pocas lograrán sobrevivir. Las crías no maduran sexualmente hasta cumplir los treinta años.

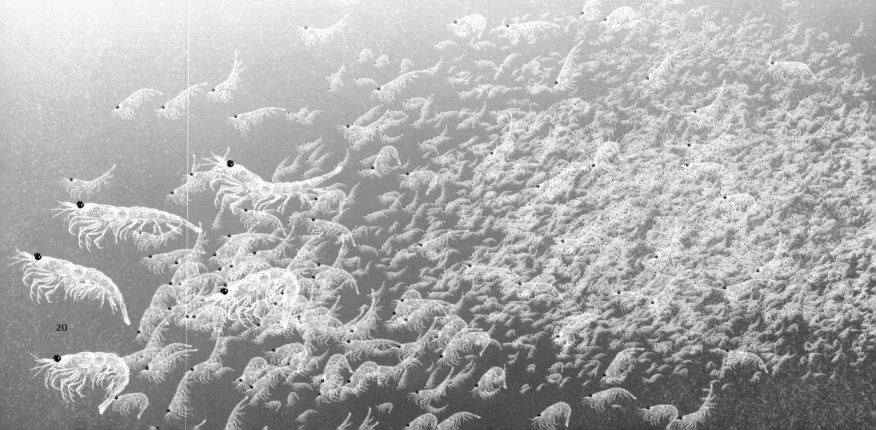

El gigante pacífico

Los científicos aún no conocen con precisión las rutas migratorias de estos escualos, porque hay pocos y son muy esquivos y difíciles de monitorizar. Se sabe que tienen buen oído y son capaces de detectar el campo magnético terrestre, pero no se sabe exactamente cómo se orientan ni dónde se reúnen para reproducirse. Ni siquiera se ha capturado nunca una cría viva.

El tiburón ballena vive cerca de la superficie, aunque ha sido detectado en alguna ocasión a 2000 metros de profundidad. Nada tan despacio que, raramente, supera los cinco kilómetros por hora, siempre en solitario y sin detenerse, ni para dormir.

En su incesante periplo, va buscando aguas cálidas, de entre 21 y 30 ºC, donde se producen puestas masivas de huevas de peces, corales, anélidos y crustáceos y también eclosiones masivas, como la de las larvas del cangrejo rojo. Entonces, pueden reunirse por decenas para darse un banquete. Pero, cuando se agota el alimento, se dispersan para viajar, otra vez en solitario, miles de kilómetros por mar abierto.

Entre los meses de mayo y julio, muchos viajan a las costas de Belice, para capturar las puestas de los peces que desovan en el plenilunio. Entre mayo y septiembre, también se juntan al noroeste de la península de Yucatán (México) para darse un festín con la enorme cantidad de plancton que prolifera en estas aguas.

En la concentración anual que se da en la costa de California, los científicos marcaron y siguieron por satélite algunos ejemplares y descubrieron circuitos migratorios muy irregulares, de entre 2100 y 4900 kilómetros. De todos modos, la migración del gigante pacífico todavía es un misterio.

MARABUNTA

Fam. Formicidae

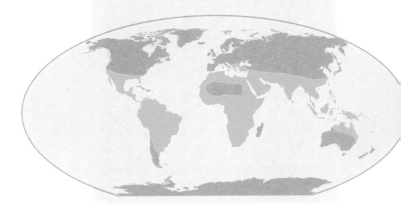

La marabunta es un insecto muy agresivo.
Vive siempre en movimiento y no construye hormigueros.

Hay unas 200 especies de marabunta,
que habitan en gran parte de América, África, Asia y Australia.

Las hormigas son sordas y prácticamente ciegas. Para ellas, el mundo está hecho de olores y sensaciones de tacto. Con su finísimo sentido del olfato, se orientan en el ecosistema, buscan alimento y perciben los enemigos.

La marabunta, hormiga soldado u hormiga legionaria, protagoniza una de las migraciones más temidas de la Tierra. Forma un ejército de enorme voracidad, que necesita capturar 30 000 presas diarias para poder alimentar a las 700 000 hormigas adultas y 200 000 larvas que forman la colonia; una fuerza letal en constante movimiento que es seguida por muchas aves, que capturan los insectos que tratan de escapar de la matanza.

Cada colonia tiene una reina, una hormiga enorme y sin alas, que pone entre tres y cuatro millones de huevos cada mes y puede vivir quince años. Las otras hormigas son exploradoras, soldados y porteadoras, que transportan las preciadas larvas y las provisiones. Casi todas son hermanas e hijas de la reina.

La colonia nunca permanece en el mismo lugar más de tres semanas. Desde cada campamento, arrasan la superficie del bosque próximo en todas direcciones. Luego, comienzan un viaje de dos o tres semanas hasta alcanzar otro territorio.

Invasión letal

La marabunta mata todo lo que se encuentra a su paso. Incluso ataca nidos de temibles avispas y rapta las larvas, que sucumben, impotentes, ante la marea de los diminutos asesinos que se les vienen encima en cuestión de minutos. La marabunta avanza unos 100 metros cada día, el equivalente humano a una maratón. Se organizan en columnas muy bien estructuradas de 15 metros de ancho y cientos de metros de longitud. Las hormigas soldado se despliegan por los flancos, mientras que las hormigas obreras circulan protegidas por el interior. Cuando la colonia avanza, parece una mancha rojiza que se extiende sobre el suelo de la selva, devastando todo lo que toca. Las hormigas rodean a las presas y las atacan desde todas direcciones, para que no puedan escapar. Matan con sus enormes y afiladas mandíbulas, que cortan como tijeras. Solo los animales más grandes y rápidos pueden huir; los más pequeños y los más lentos sucumben sin remedio.

Cuando encuentran un lugar apropiado, algunas obreras hacen un nido utilizando sus propios cuerpos, aferrándose unas a otras con las garras curvas que tienen en las patas. Lo hacen con tanta fuerza que cada una puede soportar el peso de 100 hormigas. Es como si una persona soportara el peso de un carro de combate. También utilizan esta técnica para tender puentes y superar los numerosos obstáculos que se encuentran cuando viajan.

El nido es una estructura viva, que puede estar en el suelo o colgado de un árbol. En el exterior, patrullan las hormigas guerreras y, en el centro, descansan la reina y las larvas, atendidas y alimentadas por miles de hormigas obreras.

MARIPOSA MONARCA

Danaus plexippus

Esta mariposa migratoria, de colores brillantes y tamaño considerable, vuela en enormes bandadas formadas por millones de individuos.

La mariposa monarca, como todos los insectos, tiene seis patas de las que solo utiliza las cuatro traseras para posarse. Como todas las mariposas, la monarca tiene mala vista, pero su olfato es excepcional.

Cuando la hembra está preparada para copular, exhala un aroma especial que los machos huelen a muchos kilómetros de distancia y que los atrae hacia ella. Después de copular durante toda la noche, la mariposa hembra pone entre 300 y 400 huevos en el envés de las hojas de un arbusto llamado «asclepia». Cuatro días después, de cada huevo sale una oruga peluda de colores muy vivos. Nada más nacer, devora la cáscara del huevo y se pone a comer incansablemente asclepias durante dos semanas. Estas plantas contienen una toxina que la oruga acumula en el cuerpo. Así, se convierte en venenosa y los animales insectívoros evitan comerla.

Las mariposas sufren una metamorfosis que transforma radicalmente su cuerpo. La oruga se fija en una rama o una hoja y se rodea de una coraza de color verde, transformándose en crisálida. Durante esta etapa, no come y sobrevive con la grasa acumulada en su cuerpo mientras era oruga.

Al cabo de otras dos semanas, rompe el capullo y sale convertida en mariposa adulta. Este momento es muy comprometido. Muchas no consiguen desplegar las alas por completo; nunca podrán volar y morirán capturadas por un depredador.

Es originaria de América Central y del Norte.
Recientemente se ha establecido en Nueva Zelanda, Australia y muchas islas del Atlántico y el Pacífico.

▬▬ Zona mariposa monarca
➤ Migración en otoño
➤ Migración en primavera
➤ Migración en verano

Nube de color

La monarca es una de las pocas mariposas migratorias que existen. Cada año emprende un extraordinario viaje de miles de kilómetros. Hay varias rutas migratorias. La más importante va desde las zonas de reproducción, en Canadá y la región de los Grandes Lagos, hasta las regiones cálidas del sur de Estados Unidos y México, donde pasa el invierno.

Cuando vuelan distancias largas, aprovechan las corrientes ascendentes de aire caliente para elevarse a más de 1000 metros de altura. Su sentido de la orientación es infalible. Recorren unos 80 kilómetros al día y, si el viento las desvía, se posan hasta que se calme.

La ruta de la migración de la mariposa monarca fue descubierta por Fred y Nora Urquhart en 1985, después de pegar pequeñas etiquetas de identificación en miles de mariposas y seguir sus trayectorias ayudados por más de 6000 voluntarios. Demostraron que era la mayor migración de insectos del planeta, tanto por distancia recorrida como por número de individuos implicados.

CANGREJO ROJO

Gecarcoidea natalis

Es un crustáceo terrestre de color rojo muy intenso.
Tiene los ojos saltones y las dos pinzas del mismo tamaño.

Solo existe en las islas
de Natal y Cocos, en el océano Índico,
al nordeste de Australia.

Existen muy pocos cangrejos terrestres porque, como todos los crustáceos, respiran por branquias. Para no asfixiarse, necesitan respirar agua o aire muy húmedo, con más del 70 % de humedad.

En la isla de Natal, habitan 120 millones de cangrejos, que pasan casi todo el día removiendo el suelo de la selva tropical en busca de alimento. Comen frutas, hojas, plantas en descomposición y también cadáveres de pequeños mamíferos, pájaros y otros cangrejos.

Durante las horas más calurosas del día, no se mueven mucho, para evitar la deshidratación. Por la noche, se meten a descansar en madrigueras individuales que cavan en el suelo de la selva.

En la temporada de las lluvias, entre octubre y noviembre, inician un viaje de ocho kilómetros hasta el mar, donde se aparean. Es la mayor distancia que recorre un crustáceo en todo el mundo. Los cangrejos rojos repiten la misma ruta cada año. La migración completa dura unos 18 días. Se mueven en oleadas muy vistosas, que cubren de rojo los lugares por donde pasan. El esfuerzo para ellos es tremendo por el intenso calor tropical y porque tienen que atravesar lugares habitados por seres humanos, llenos de obstáculos, como carreteras, muros y otras construcciones.

Procesión roja

El momento exacto en que inician el viaje depende de las fases lunares. Los machos salen antes, con la luna llena, y tardan una semana en llegar a la playa, andando unas 12 horas cada día. Caminan evitando quedar expuestos al sol directo, que los podría matar por desecación. Cuando llegan a la costa, entran inmediatamente en el mar para hidratarse y recuperar fuerzas. Luego, vuelven a la playa y cavan un agujero, donde se meten para esperar a las hembras. Como hay muchos cangrejos y poco espacio, las luchas entre ellos para conseguir un buen lugar junto al mar son feroces.

Las hembras van cargadas con 100 000 huevas cada una; por eso, su viaje es más lento y difícil que el de los machos. Las primeras en llegar se meten en las madrigueras mejor situadas.

Después de aparearse en la intimidad durante tres días, son abandonadas por los machos, que inician el camino de vuelta.

Las hembras se quedan en los agujeros, manteniendo las huevas fecundadas con ellas durante 10 o 12 días hasta la luna nueva. Cuando la marea alta coincide con la madrugada, caminan hasta las rocas y desovan en el mar para, a continuación, iniciar el camino de vuelta tras los machos.

Los huevos eclosionan inmediatamente, al contacto con el agua, y las larvas se adentran en el mar. Durante estos días de vida marina, las larvas pasan por varias fases de aspecto extraño, hasta que adoptan la forma adulta, pero en miniatura, de solo cinco milímetros. Un mes después, regresan a la isla, se adentran en tierra y comienzan un nuevo ciclo.

FICHAS

LEMMING O LEMINO

PÁGINA: 4

LAT: *Lemmus sp.*

ALE: Lemming
FRA: Lemming
ING: Lemming
ITA: Lemmini
POR: Lemingue

CURIOSIDADES

• La culpa de la falsa idea del suicidio es de una película de 1958, en la que se filmaron lemmings cayendo por un barranco. Años después, se demostró que había sido un montaje y que los animales no se suicidaron, sino que fueron lanzados al vacío para filmar la secuencia.

LONGITUD	PESO	LONGEVIDAD	ALIMENTACIÓN	EXTINTO	AMENAZADO	BAJO RIESGO
10 - 15 cm	30 - 110 g	2 años	herbívoro	EX EW	CR EN VU CD	NT LC

BISONTE AMERICANO

PÁGINA: 6

LAT: *Bison bison*

ALE: Amerikanische Bison
FRA: Bison d'Amérique du Nord
ING: American buffalo
ITA: Bisonte americano
POR: Bisonte-americano

CURIOSIDADES

• Los nativos de las Grandes Llanuras lo consideraban un animal sagrado y solo cazaban algunos ejemplares, los más débiles, de los que aprovechaban todo: carne, vísceras, tendones, piel y cuernos; hasta usaban los excrementos secos como combustible.

ALTURA	PESO	LONGEVIDAD	ALIMENTACIÓN	EXTINTO	AMENAZADO	BAJO RIESGO
180 cm	400 - 1300 kg	16 años	herbívoro	EX EW	CR EN VU CD	NT LC

ÑU AZUL

PÁGINA: 8

LAT: *Connochaetes taurinus*

ALE: Streifengnu
FRA: Gnou bleu
ING: Blue wildebeest
ITA: Gnu striato
POR: Gnu-azul

CURIOSIDADES

• Los indígenas cazan ñus para preparar tiras de carne seca especiada con sal, pimienta y cilantro. Con la cola, fabrican espantamoscas.

• Los turistas que van a presenciar la gran migración reportan beneficios de unos 550 millones de dólares al año a Tanzania.

ALTURA	PESO	LONGEVIDAD	ALIMENTACIÓN	EXTINTO	AMENAZADO	BAJO RIESGO
130 - 150 cm	120 - 270 kg	20 años	herbívoro	EX EW	CR EN VU CD	NT LC

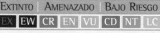

CHARRÁN ÁRTICO

PÁGINA: 10

LAT: *Sterna paradisea*

ALE: Küstenseeschwalbe
FRA: Sterne arctique
ING: Artic tern
ITA: Sterna codalunga
POR: Andorinha-do-mar-ártica

CURIOSIDADES

• La del charrán es la mayor migración regular conocida. Están documentados casos de aves que llegaron a recorrer 80 000 km en un solo año.

• Como, más allá de los círculos Ártico y Antártico, el Sol no se pone en verano, podemos decir que es el ser vivo que vive más horas de luz.

ENVERGADURA	PESO	LONGEVIDAD	ALIMENTACIÓN	EXTINTO		AMENAZADO			BAJO RIESGO		
76 - 85 cm	92 - 135 g	20 años	carnívoro	EX	EW	CR	EN	VU	CD	NT	LC

GOLONDRINA COMÚN

PÁGINA: 12

LAT: *Hirundo rustica*

ALE: Rauchschwalbe
FRA: Effraie des clochers
ING: Barn swallow
ITA: Rondine comune
POR: Andorinha-das-chaminés

CURIOSIDADES

• Antes de iniciar la migración, las aves acumulan grasas insaturadas bajo la piel y en el hígado. Depredadores y cazadores tratan de capturarlas en este momento ¡porque es cuando están más sabrosas!

ENVERGADURA	PESO	LONGEVIDAD	ALIMENTACIÓN	EXTINTO		AMENAZADO			BAJO RIESGO		
32 - 35 cm	16 - 22 g	16 años	insectívoro	EX	EW	CR	EN	VU	CD	NT	LC

TORTUGA BOBA

PÁGINA: 14

LAT: *Caretta caretta*

ALE: Unechte Karettschildkröte
FRA: Caouanne
ING: Loggerhead sea turtle
ITA: Tartaruga comune
POR: Tartaruga-boba

CURIOSIDADES

• Su sexo depende de la temperatura del nido: a 28 ºC, se forman machos; a 30 ºC, hembras y, a temperaturas intermedias, algunos salen machos y otros hembras.

• No pueden salir del caparazón, como se ve a veces en los dibujos animados, porque el caparazón está formado por sus propios huesos.

LONGITUD	PESO	LONGEVIDAD	ALIMENTACIÓN	EXTINTO		AMENAZADO			BAJO RIESGO		
90 - 200 cm	130 - 300 kg	60 años	omnívoro	EX	EW	CR	EN	VU	CD	NT	LC

SARDINA SUDAFRICANA

PÁGINA: 16

LAT: *Sardinops sagax ocellatus*

ALE: Südafrikanische Sardine
FRA: Pilchard de Afrique du Sud
ING: Southern African Pilchard
ITA: Sardina di Sud Africa
POR: Sardinha-sul-africana

LONGITUD	PESO	LONGEVIDAD	ALIMENTACIÓN
22 cm	120 g	4 años	micrófago

CURIOSIDADES

• Las sardinas sudafricanas son tan numerosas porque viven en uno de los mares más ricos del mundo en nutrientes. Allí crecen miles de toneladas de algas microscópicas, de las que se alimentan miles de millones de animales tan pequeños que apenas se ven a simple vista. En conjunto, estos animales y algas forman el plancton, su alimento.

EXTINTO	AMENAZADO	BAJO RIESGO
EX EW	CR EN VU CD	NT LC

SALMÓN COMÚN

PÁGINA: 18

LAT: *Salmo salar*

ALE: Atlantischer Lachs
FRA: Saumon atlantique
ING: Atlantic salmon
ITA: Salmone dell´Atlantico
POR: Salmão

CURIOSIDADES

• La hembra es muy prolífica: pone 2300 huevos por kilo de peso.

• Quedan muy pocos salmones comunes completamente naturales (menos del 0,5 %). La mayoría procede de razas seleccionadas en piscifactorías y reintroducidas en el ecosistema.

LONGITUD	PESO	LONGEVIDAD	ALIMENTACIÓN
70 - 150 cm	5 - 45 kg	4 - 6 años	carnívoro

EXTINTO	AMENAZADO	BAJO RIESGO
EX EW	CR EN VU CD	NT LC

TIBURÓN BALLENA

PÁGINA: 20

LAT: *Rhincodon typus*

ALE: Walhai
FRA: Requin-baleine
ING: Whale shark
ITA: Squalo Balena
POR: Tubarão-baleia

LONGITUD	PESO	LONGEVIDAD	ALIMENTACIÓN
12 m	20 Tm	90 años	micrófago

CURIOSIDADES

• El tiburón ballena es un pez muy pacífico. Disfruta con la presencia de buzos, a quienes se acerca para jugar con ellos.

• La piel de su espalda tiene un dibujo que recuerda a un tablero de juego de mesa; por eso, también lo llaman «pez damero», «pez dama» o «pez dominó».

EXTINTO	AMENAZADO	BAJO RIESGO
EX EW	CR EN VU CD	NT LC

MARABUNTA

PÁGINA: 22

LAT: *Familia Formicidae*

ALE: Wanderameisen
FRA: Fourmi légionnaire
ING: Army ant
ITA: Formica marabunta
POR: Formiga-correição

CURIOSIDADES

• También llamada «hormiga guerrera».

• Cuando dos hormigas se encuentran, se comunican entre sí frotándose las antenas y emitiendo olores mediante sustancias químicas que tienen significados concretos.

LONGITUD	PESO	LONGEVIDAD	ALIMENTACIÓN	EXTINTO	AMENAZADO	BAJO RIESGO
0,7 - 1,5 cm	3 - 7 mg	1 - 3 años	carnívora	EX EW	CR EN VU CD	NT LC

MARIPOSA MONARCA

PÁGINA: 24

LAT: *Danaus plexippus*

ALE: Monarchfalter
FRA: Papillon monarque
ING: Monarch butterfly
ITA: Monarca
POR: Borboleta-monarca

CURIOSIDADES

• Los antiguos aztecas creían que las mariposas monarca eran la reencarnación de los guerreros caídos en combate.

• La llegada de las mariposas monarca a México coincide aproximadamente con el día de los difuntos. La creencia popular las identifica con las almas de los muertos, que vuelven a casa.

LONGITUD	PESO	LONGEVIDAD	ALIMENTACIÓN	EXTINTO	AMENAZADO	BAJO RIESGO
9 - 12 cm	0,25 - 0,75 g	9 meses	herbívoro	EX EW	CR EN VU CD	NT LC

CANGREJO ROJO

PÁGINA: 26

LAT: *Gecarcoidea natalis*

ALE: Weihnachtsinsel-Krabbe
FRA: Crabe rouge de l'île Christmas
ING: Christmas Island red crab
ITA: Granchio rosso
POR: Caranguejo-vermelho

CURIOSIDADES

• Para evitar que mueran atropellados, las autoridades han construido pasos seguros y túneles bajo las carreteras para ellos.

• El cangrejo rojo no tenía depredadores naturales hasta que llegó a la isla, accidentalmente, la hormiga amarilla. Esta hormiga ataca escupiéndoles ácido a los ojos y devorándolos después.

DIÁMETRO CAP.	PESO	LONGEVIDAD	ALIMENTACIÓN	EXTINTO	AMENAZADO	BAJO RIESGO
15 cm	415 - 570 g	12 años	detritívoro	EX EW	CR EN VU CD	NT LC

GLOSARIO

Alevín

Cría de pez que acaba de salir del huevo y comienza a alimentarse por sí mismo.

Aposematismo

Método de defensa de muchos animales peligrosos o tóxicos que consiste en exhibirse mediante colores vistosos para anunciar su presencia y evitar ser molestados. Lo contrario del aposematismo es la cripsis (coloración con la que los animales se camuflan en su entorno).

Clúster N

Conjunto de regiones interconectadas del cerebro anterior de algunos animales. Está relacionado con la capacidad para percibir los campos magnéticos terrestres, lo que les permite orientarse durante los viajes y migraciones.

Eurihalino

Animal que puede vivir en aguas dulces y saladas. Cuando realiza el cambio de unas aguas a otras, transforma drásticamente su fisiología para separar y descartar el exceso de sal que toma con los alimentos o viceversa.

Freza

Fertilización externa de los huevos de la mayoría de los animales acuáticos, como crustáceos, equinodermos, moluscos, peces y anfibios. El acto de la freza consiste en la expulsión simultánea de huevos y espermatozoides por parte de hembras y machos, respectivamente. La fecundación se produce en el agua, donde se forma una nube de huevos fertilizados que no recibirán ningún tipo de cuidado por parte de sus progenitores.

Kril

Pequeños crustáceos que forman inmensas masas en ciertas zonas del océano y constituyen el alimento de muchos animales como los calamares, la ballena azul, los pingüinos y el tiburón ballena.

Magnetorrecepción

Percepción sensorial por la que muchos animales perciben el campo magnético terrestre y que les sirve para orientarse en sus viajes y migraciones. Algunos ejemplos de animales con esta percepción sensorial son el salmón *(Oncorhynchus nerka)*, la tortuga de mar *(Dermochelys coriacea)*, el tritón de lunares rojos *(Notophthalmus viridescens)*, la langosta *(Panulirus argus)*, la abeja común *(Apis mellifera)* y la mosca de la fruta *(Drosophila melanogaster)*. Otras especies combinan la magnetorrecepción con diversas fuentes de información, como el reconocimiento visual y olfativo de lugares y la orientación nocturna por las estrellas.

Píleo

Parte superior de la cabeza de las aves, entre la frente y la nuca. En muchas aves, el píleo tiene un color vistoso, distinto al de la cabeza, e incluso un penacho de plumas largas.

Plancton

Conjunto de pequeños organismos, muchos de ellos microscópicos, que viven en los 200 metros más superficiales de mares, ríos y lagos. Viven en suspensión en las aguas, a diferencia de los organismos que forman el necton, que son nadadores activos. Se suele diferenciar en fitoplancton y zooplancton, en función de que elaboren su alimento mediante la fotosíntesis o que se alimenten de materia orgánica. El meroplancton es la fracción del plancton formada por pequeñas larvas de animales que, después, crecerán y pasarán a formar parte del necton.

Rectrices

Son las plumas que las aves utilizan para controlar la dirección mientras vuelan. Otras plumas son las rémiges, que sirven para impulsarse en vuelo y las coberteras, para recubrir el cuerpo. Bajo las coberteras, está el plumón, que son plumas con aspecto de hilos, de función aislante térmica.

Rémora

Pez dotado de un disco adhesivo en la parte superior de la cabeza con la que se fija al cuerpo de grandes peces, mamíferos o tortugas. En ecología, a estos peces se los denomina «comensales», pues se alimentan de los restos de la comida de sus hospedadores, sin causarles ningún perjuicio importante.

Rumiante

Mamífero que realiza la digestión en dos etapas: en la primera, toma rápidamente el alimento y lo almacena en una cavidad gástrica o panza; en la segunda, regurgita pequeños bocados de alimento, los mastica y los vuelve a tragar para digerirlos en otras cavidades gástricas e intestinos. Son rumiantes los bóvidos, las jirafas, los ciervos y las cabras.

Silueta hidrodinámica

La forma de huso es una de las más eficaces para nadar rápido y gastando la menor cantidad posible de energía. El agua es mucho más densa que el aire y ejerce una gran resistencia al avance, por lo que la evolución ha dotado a muchos animales de una silueta hidrodinámica, como la del tiburón (pez), el delfín (mamífero) y el ictiosaurio (reptil).

Tundra

Uno de los principales biomas de la Tierra. Se caracteriza por la ausencia de bosques y por tener el subsuelo congelado todo el año y una vegetación formada por musgos, líquenes, algunas gramíneas y unos pocos árboles enanos. Hay tres tipos de tundra: ártica, antártica y alpina.

UICN

Unión Internacional para la Conservación de la Naturaleza. Esta organización estudia el estado de conservación de las especies y publica los resultados cada año. Las categorías establecidas son:

- Extinto (EX)
- Extinto en estado silvestre (EW)
- Amenazado (TR)
  · En peligro crítico (CR)
  · En peligro (EN)
  · Vulnerable (VU)
- Bajo riesgo (LR)
  · Dependiente de medidas de conservación (CD)
  · Próximo a la vulnerabilidad (NT)
  · Mínima preocupación (LC)
- Datos insuficientes (DD)
- No evaluado (NE)

Vibrisas

Plumas con aspecto de pelos que algunas aves tienen a ambos lados de la boca. Son muy sensibles, como los bigotes de los gatos y, como a los felinos, les sirven para capturar más fácilmente a sus presas.

Título original: *Viaxeiros*

Colección ANIMALES EXTRAORDINARIOS

© del texto: Xulio Gutiérrez, 2019

© de las ilustraciones: Nicolás Fernández, 2019

© de la traducción: Chema Heras, 2019

© de esta edición: Kalandraka Editora, 2019
Rúa de Pastor Díaz, n.º 1, 4.º B - 36001 Pontevedra
Tel.: 986 86 02 76
edicion@kalandraka.com
www.kalandraka.com

Faktoría K de libros es un sello editorial de Kalandraka

Impreso en Gráficas Anduriña, Poio
Primera edición: marzo, 2019
ISBN: 978-84-16721-39-9
DL: PO 54-2019